사물의 말들

사물의 말들

발 행 | 2023년 12월 15일
저 자 | 하얀 태양 (김도훈, 송지오, 최예원, 황서현,)
펴낸이 | 한건희
펴낸곳 | 주식회사 부크크
출판사등록 | 2014.07.15.(제2014-16호)
주 소 | 서울특별시 금천구 가산디지털1로 119 SK트윈타워 A동 305호
전 화 | 1670-8316
이메일 | info@bookk.co.kr

ISBN | 979-11-410-6037-4

www.bookk.co.kr

사물의 말들

글 · 사진 / 김도훈
　　　　　송지오
　　　　　최예원
　　　　　황서현

엮음 / 백경화

목
차

#. 2

다
가
오
는

말

#. 3

책
의

말

들
어
가
며

　새로운 초등학교에서 아이들을 만나며 참 즐거웠다. 그리고 책을 진심으로 대해주는 몇몇 아이들을 보며 한동안 잊고 있었던 책쓰기의 욕심이 다시금 샘솟기 시작했다.

　책쓰기 동아리를 만들어야겠다고 결심하고 관심 있는 아이들을 모으면서 "글쓰기 싫어해도 괜찮아", "같이 계속 쓰면 늘 거야"라고 말하고 다녔지만 도무지 믿어지지 않는 문장들이었다. 나 역시 글쓰기는 막막하고 두려울 때가 잦았기 때문이다.

무언가를 쓰자고 하면 아이들은 할 말이 없다거나 아무 생각도 나지 않는다고 했다. 나는 무언가 장황하게 아이들에게 설명했지만 늘 부족하기만 했다. 그런 뜬구름 같은 이야기를 듣고도 아이들은 쓸 이야기가 있는 사람처럼 호기로운 미소를 지으며 집으로 돌아가 글을 써왔다.

우리 주변의 다양한 사물을 통해 자신의 이야기를 끄집어 내려 노력했다. 하얀 종이 위에 자신만의 표정으로 진지하게 글을 써 내려간 아이들에게 큰 박수를 보낸다.

열심히 함께해준 아이들로부터
책쓰기. 그 속에 아름다운 감동과 위로가 있음을
2023년 또 다시 배웠다.

2023. 9. 13
지도교사 백경화

writer 최예원

· ·

2012년 4월 15일, 물 맑고 공기 좋은 속초에서 세상을 빛낼 이름 '최예원'으로 태어났다.

나중에 세상을 빛낼 사람으로 성장하고 싶은 마음과 어려운 사람들을 돕고 사는 의미 있는 삶을 살고 싶어 열심히 노력 중이다.

하루하루 자부심과 성취감을 느낀다. 매일이 정말 행복하고, 언제나 나의 꿈에 대한 달콤한 상상을 하며 살아가고 있다.

writer 송지오

· ·

　좋아하는 것도 많고 싫어하는 것도 많은, 이제 초등학교 졸업과 중학교 입학을 앞둔, 초등학생의 끄트머리에 서 있는 학생이다.

　글쓰기에 관심을 가지고 그 분야 안에서 살아가는 것을 막연하게 상상하며 동경하던 찰나 글쓰기 동아리에 존재를 알고 지원서에 연필을 대었다.

　이것도 하고 싶고 저것도 하고 싶은 나의 욕심에 당황하기도 하지만 이 욕심 그대로 안고 앞으로 나아가고프다.

writer 김도흔

· ·

　mbti가 32개인 것 같은 다양한 성격의 소유자!
아직까진 나도 나의 성격이 적성이 뭔지 아예 모를 정도로
다양한 생각을 하며 지낸다.
　처음에 이 동아리에 들어와서 처음 글을 쓰고 '난 글을
쓰는 것에 재능이 없나?' 라는 생각만 하며 지냈지만 지금
은 누구보다 재미있게 글을 쓰고 있다. 아직 내가 좋아하
는 것, 잘하는 것을 모르지만 계속 해보고 즐기다 보면 언
젠가 찾을 수 있지 않을까?

writer 황서현

· ·

초등학교 졸업을 앞두고 글쓰기 동아리 '하얀 태양'에 도전했다. 쓰는 과정은 힘들었지만 나의 소소한 생각과 일상을 담아 썼다가 지우기를 반복하며 정성을 다해 쓴 글을 누군가가 보고서 공감을 할 수 있다면 좋겠다.

어른이 된 미래의 나는 어떻게 될지 모르지만 하루 하루 재밌게 살아가며 내가 좋아하는 것들을 해보고 즐겁게 꿈을 찾는 중이다.

이렇게 꿈을 꾸는 나처럼 어린이들도, 어른들도 이 책의 글들로 즐거운 꿈을 꾸게 되었으면 좋겠다.

그리고 일상 속에서 항상 즐겁게 웃고 있는 지금의 나와 같이 일상 속에서 이 책을 보면서 피식 웃게 되었으면 좋겠다.

#. 1

다가서는 말

재미있기만 한 책

나는 새삼스레
소설책이 재미 이외의 의미가 있다는 것을
깨달았다.

책을 읽으라고 하는 이유 중에 대표적인 이유가 책을 읽으면 똑똑해진다는 것이다. 정말 그럴까?

내가 주로 읽는 것은 소설책이고 아주아주 가끔 도감과 과학책을 읽는다.

책의 의미를 다시 생각해보니 나는 새삼스레 소설책이 재미 이외의 의미가 있다는 것을 깨달았다. 하지만 나는 내가 소설책을 본격적으로 읽기 시작한 후로 눈에 띄게 똑똑해졌다고는 생각하지 않는다.

새로운 단어나 신기한 표현을 보면 수첩에 남기기는 하지만 자주 있는 일도 아니어서 내가 소설책을 보는 건 키득거리거나 눈물을 글썽이는 등 과연 도움이 될까 하는 것들만 한다고 봐도 무방하다.

만약 누가 내가 책을 좋아한다고 했을 때 놀라워하거나 다르게 보인다는 등의 말을 하면 이렇게 답하고 싶다.
"재밌기만 한 책인걸요?"

송지오

인
형

어쩌면 친구보다 인형이 더 친한 것 같다.

나는 성격상 어떤 것을 하더라도 혼자 있는 걸 싫어하는 편이다. 그래서 애착 인형에게 이름을 하나씩 붙여두고 침대에 두었다. 인형이 공감을 해주는 것도, 어떠한 조언을 해주는 것도 아닌 것을 알지만 자기 전 인형들에게 사소한 일이라든지 고민들을 여과 없이 재잘재잘 거린다.

　가끔은 내가 힘들 때 누군가가 있어 주는 것만으로도 위로가 되는 것처럼 인형도 나에겐 그런 존재인 것 같다. 내 얘기를 묵묵히 들어주고 내 옆에 있어 주는 것만으로도 마음이 편안해지는 존재 말이다. 가끔은 이런 생각도 한다.

　'어쩌면 친구보다 인형이 더 친한 것 같다.'라는 생각 말이다.

황서현

사
진

평소처럼 공부를 하고 있었다. 그러다가 무언가를 찾기 위해 요리조리 돌아다니는데, 눈에 띄는 게 있었다. 바로 사진이었다.

사진을 보며 그때의 추억을 마음껏 생각했다. 마치 과거로 시간여행을 가는 것만 같다.

그때의 웃음소리,

그때의 촉감,

그때의 온도,

그때의 표정

그때의 향기

모든 장면들이 그대로 생각난다.

사진을 찍은 그 날, 너무나도 생생하게 기억난다.

사진을 정말 신기하다. 하지만, 아쉽게도 그 즐거웠던 추억 속으론 돌아갈 수 없다. 사진은 정말 우연히 발견된다. 무심코 사진이 있는 쪽으로 고개 한 번 돌려보면, 추억을 생각하는 시간과 함께 사진에서 눈을 뗄 수 없다.

하지만, 아쉽게도 그 즐거웠던 추억 속으론 다시 돌아갈 수 없다.

최예원

아쉽게도
그 즐거웠던 추억 속으론 다시 돌아갈 수 없다.

시

소

나도 시소 같은 사람이 되고 싶다.

삐그덕 삐그덕.

올라갔다 내려갔다.

놀이터에 있는 시소에서 아이들이 놀고 있었다. 행복해 보였다. 그 아이들은 언제나 같은 자리에서 있었다. 오늘은 나도 그 아이들과 같이 시소를 탔다. 나도 즐거웠다. 아이들은 행복해 보였다. 또 다시 올라갔다 내려갔다. 왔다갔다 했다. 그러다 깜짝 놀랐다. 처음엔 3명이서 탔던거 같은데. 점점 아이들이 늘었다. 참 신기했다. 아이들이 점점 느는데도 재밌게 다 같이 탈 수 있었다. 시소라는 것이 참 신기하게 느껴졌다.

놀이터에 있는 미끄럼틀도, 그네도 모두 여러 명이 한번에 타진 못했는데. 시소는 여러 명이 한 번에 탈 수 있었다. 그렇게 생각하니 시소는 참 공평하다. 여러 명이 한 번에 탈 수도 있고, 사람들이 없어지면 다시 균형을 잡는다. 나도 시소가 나와 아이들에게 행복을 줬던 것처럼, 시소가 모두에게 공평한 것처럼. 나도 시소 같은 사람이 되고 싶다.

김도흔

무
드
등

'나에게 무드 등 같은 친구가 있으면 어떨까?'

자기 전 어두운 방의 분위기가 싫어서 무드 등을 키는 것이 습관이 되었다. 무드 등을 키는 순간 어두웠던 방이 순식간에 밝아진다. 밝아진 모습을 보면 나도 왠지 모르게 밝아지는 느낌이 든다. 또 무드 등을 키고 침대에 가만히 누워있으면 편안한 느낌도 든다.

가만히 누워있으면서 어느 날은 고민을 해결하기 위해 끙끙대며 생각을 하고 다른 날은 '전쟁이 나면 어쩌지?', '나한테 이런 친구가 있다면?' 등의 터무니없는 생각을 하다가 문득 무드 등이 나의 생각에 들어왔다.

'나에게 무드 등 같은 친구가 있으면 어떨까?'

같이 있으면 편안해지고, 내가 어떤 생각을 하더라도 묵묵히 옆을 밝혀주는 친구는 전형적인 좋은 친구일 것 같았다. 어쩌면 무드 등 같은 친구는 내가 가장 바라는 친구의 모습이었던 것 같다.

황서현

내
가
못
버
리
는
이
유

설령 내가 그것에 별다른 추억이 없다고 해도 말이다.

2박3일로 수학여행을 다녀오고 거실 바닥에 캐리어를 눕혀두고 캐리어 바퀴를 닦는데 캐리어 바퀴가 깨졌다. 엄마한테 말하니 엄마는 그 캐리어도 이제 버릴때가 됐다고 했다. 지금까지 여행갈 때마다 그 캐리어만 쓰기도 했고 그 캐리어엔 지금까지 탔던 비행기의 목적지가 적혀있는 바코드 스티커가 붙여있어서 나는 선뜻 엄마의 말을 그냥 넘길 수 없었다. 그리고 그 캐리어는 우리 가족의 추억보다 엄마의 추억이 더 많이 깃들어있는 캐리어이다. 나라면 절대로 쉽게 버려야겠다는 말을 못 할 것 같다.

옛날부터 오래된 물건 같은 것을 잘 못 버렸다. 설령 내가 그것에 별다른 추억이 없다고 해도 말이다. 지금도 내 방엔 우리 가족들이 버리려고 했던 물건이 여럿 있다. 우리 가족이 버리려고 내놓았던 물건을 내가 슬쩍 가져가서 내 방에 안착시키는 것이다. 안방의 큰 전등은 지금도 무지 잘 쓰고 있고, 태어나기 전부터 쓰던 시계는 여전히 제 구실을 다하고 있다. 바퀴가 깨진 캐리어는 내 방 붙이장에 잘 모셔놓고 있다.

언젠가 또 잘 쓸 수 있기를 바라며.

송지오

연
필

나는 뭉뚝하더라도 나를 좋아할 줄 알고
내가 좋아하는 걸 하는 연필이었으면 좋겠다.

오랜만에 샤프 대신 연필을 쓰고 뭉뚝해진 연필을 깎았다.
처음에도 짧은 연필이어서 그랬는지 더 짧아진 모습이 눈에
확연히 보였다. 글을 쓰는 내내 연필을 쓰고, 깎고 반복했더
니 처음 봤을 때의 2배는 짧아진 것 같았다. 한 번 더 깎으
려고 연필깎이에 넣었더니 연필이 짧아 넣기가 어려웠다. 그
리고 그 연필로 글도 쓰기가 어려워 구석에 두고 다른 연필
을 꺼냈다. 마저 글을 쓰는데 구석에 있는 연필이 계속 눈에
보였다. 그러다 보니 이런 생각이 들었다.

'내가 저 구석에 있는 연필이면 어떨까?'

뾰족한 모습으로 글을 열심히 쓰다가 뭉뚝해져 쓰기 어려워지면 다시 주인이 원하는 뾰족한 모습으로 변하는 것이 조금은 슬플 것 같았다. '나는 꼭 뾰족한 연필이야' 하고 그렇게 되려면 나를 깎아야 하고 나도 언젠간 저렇게 구석에 버려질 것이라는 생각이 들었기 때문이다. 이런 감정을 사람과 대조해 보면 남에게 잘 보이려고 항상 이쁜 모습을 보여주지만 진짜 나의 모습은 잃어가는 것과 비슷하다고 생각했다. 그렇지만 나의 뭉뚝한 모습도, 뾰족한 모습도 다 나의 모습이다.

내가 만약 연필이라면 나는 뭉뚝하더라도 나를 좋아할 줄 알고 내가 좋아하는 걸 하는 연필이었으면 좋겠다.

황서현

장
래
희
망

나는 예전서부터 '넌 장래희망이 뭐니?'라고 물으면 나는 그때마다 직업이라는 한 단어만 머릿속에 맴돌았다.

그러나 이제는 한 걸음 더 나아가 미래에 내가 되고 싶은 사람이 떠오른다. 내가 되고 싶은 사람은 사회에 기여하는 사람이었다.

그리고 내일의 꿈, 모레의 꿈도 꿈이다. 방학 계획표처럼 사소한 계획 역시 꿈인 것이다. 나는 매일매일 꿈을 이룰 것이고, 매일 꿈을 새롭게 만들 것이다.

나는 그 순간 꿈을 이룬 것이었다.

어느 날은 과제가 너무 하기 싫었다. 계속 시간이 지나면 지날수록 하기 싫어졌다. 하지만 끝끝내 해치우니 너무 상쾌한 것이었다. 나는 그 순간 꿈을 이룬 것이었다.

최예원

시

제

오늘 배운 건 시제였다. 시제는 시간 같은 거라고 배웠는데, 과거, 현재, 미래가 있다고 했다. 현재와 미래 참 신기하면서도 중요하게 연결되어 있어 재밌다고 느꼈다.

지금 내가 이 글을 쓰면서도 내가 정확히 무얼 싶은지, 뭘 해야 하는지 모를 때가 있다. 그럴 때마다 현재였던 것이 과거가 되고 미래가 현재가 되며 내가 무얼 썼는지 알려줬다.

신기했다. 그 짧은 순간에도 시간이 바뀐다. 그 짧은 시간에도 내가 뭘 했는지 보여준다. 미래라는 단어와 내가 하고 싶은 것은 서로 아주 밀접한 연관성이 있었고. 내가 하고 싶은 것은 그렇게 멀리 있는 것이 아니었다. 지금이라는 현재는 뭘 하고 싶다고만 생각할 수 있지만 1초 뒤에 난 그걸 실행하고 있을 수 있다. 난 내가 하고 싶은 걸 멀리서 찾지 않을꺼다. 1초 후, 1분 후 그렇게 멀지 않은 곳에서 내가 할 수 있는 만큼 최선을 다해 내가 하고 싶은 걸 할 거다.

김도흔

그럴 때마다

현재였던 것이 과거가 되고

미래가 현재가 되며

내가 무얼 썼는지 알려줬다.

행
복

더운 여름날에 항상 타는 엘리베이터에 붙어있는 광고를 유심히 봤다. 광고에 한 문구가 적혀있었다. '행복 너무 가까이 있어서 곁에 있는 줄 몰랐습니다.'라는 문구였다. 그리고서 집에 들어갔다. 밖은 무지 더웠는데 집 안에 들어가니 에어컨 바람으로 시원했다. 시원한 집에 들어가니 아까 광고의 문구가 떠올랐다. 그리고 그와 동시에 더운 날에 시원한 집에 들어갈 수 있다는 것이 행복이고, 추운 날에 따뜻한 집 안에 있다는 것도 행복인지 궁금했다.

'행복'이라는 단어를 반복적으로 생각하다 보니 또 한 문장이 떠올랐다. '어른이 되었다는 건 행복을 알게 되었다는 것이다'라는 문장이었다. 그렇다면 나는 어른이 되어서 행복을 알 수 있을까? 물음표들만 남기고 답은 찾지 못했다. 나중에 어른이 된 내가 이 글을 보고 행복은 무엇이다. 라고 말할 수 있는 날이 왔으면 좋겠다.

황서현

나는 어른이 되어서 행복을 알 수 있을까?

미
래
의

모
습

나는 어른이 된 내 모습을 상상할 수가 없다.

엄마가 외할머니댁에서 가족들이 옛날 앨범을 보면 당연하겠지만 어릴 때 모습과 어른인 지금 모습이 별반 다를 게 없다. 그리고 나도 지금 내 얼굴인 상태로 나이 들 것이다.

그런데 나는 어른이 된 내 모습을 상상할 수가 없다. 아직 성장이 계속되고 있어서일까? 어차피 무슨 일이 있든 간에 내 얼굴은 돌고 돌아 지금 내 얼굴 그대로 일 텐데. 지금의 나와 거의 똑같다고 봐도 무방한 어른인 나는 과연 어떤 모습일까. 아무리 생각해봐도 이질감이 들 뿐, 확답을 얻지 못한다. 이 부분이 어떻게 보면 모순적인 것 같다.

계속 똑같을 텐데 미래를 상상할 수 없다니. 어른들도 그랬을까. 계속 똑같을 미래의 자신을 상상하지 못했을까.

송지오

사
서

도서부를 하며 도서관에서의 일을 경험해 보았다. 힘든 일도 있지만 일이 재밌어서 사서를 꿈꾸게 되었고 지금까지도 사서라는 꿈을 꾸고 있다. 누군가가 꿈이 무엇이냐고 묻는다면 사서가 되고 싶다고 당당히 말했었다. 하지만 지금은 답하기 애매한 상황이 되어버렸다.

예전의 나는 직업을 고르는 것이 쉬웠다. 그런데 요즘은 직업 하나를 생각하면 다양한 물음표들이 뒤를 이어 따라왔다. '내가 과연 이 직업으로 생계를 유지할 수 있을까?', '이 직업이 미래에 사라질 가능성이 얼마나 될까?' 등 어떠한 꿈을 꾸더라도 현실이라는 벽에 부딪히게 되는 것 같다. 지금 나도 현실의 벽에 부딪히고 있다.

지금 하고 있는 도서부도 사서가 되고 싶다는 마음으로 들어왔다. 기대 이상으로 도서부 일은 너무 재미있었다. 도서부 일을 하면서 다양한 사람들을 만나고, 책의 위치를 찾아서 꽂을 때의 희열감과 다양한 이벤트를 준비하시고 아이들의 이름 하나하나까지 기억하시는 사서 선생님에게 느낀 존경심 등이 현실의 벽에 부딪힐 때 사서의 꿈을 포기하지 못하게 만들고 있다.

현실의 벽과 사서란 소중한 꿈에서 헤매고 있지만 내가 사서가 되고 싶다는 것은 바뀌지 않을 것 같다.

황서현

사서가 되고 싶다는 것은 바뀌지 않을 것 같다.

바 람 개 비

바람개비는 우두커니 바람을 기다리며 홀로 서 있다.

그냥 잠시 소파에 앉아 한 생각이었다. 가만 생각해보면 나는 늘 누군가의 도움을 받았다. 엄마의 도움을 받거나, 아빠의 도움을 받거나, 친구의 도움을 받거나. 내가 도움을 준 적도 있지만 막상 '도움'이란 단어를 떠올리니 준 것 보다 받은 경험이 훨씬 많이 생각났다.

마치 나는 바람개비 같았다. 바람개비 역시 사람들에게 재미도 주지만, 만약 바람이 없다면 바람개비는 돌아갈 수 없다.

이런 바람개비를 나에 빗대어 생각하면 딱히 다를 게 없다. 단지 사람이냐, 물건이냐에 차이일 뿐.

바람개비는 우두커니 바람을 기다리며 홀로 서 있다.

최예원

스
마
트
폰

　난 어제 오늘 스마트폰을 잃어버려 스마트폰 없이 생활하고 있다. 그렇게 생활을 이어가다 보니, 난 스마트폰이라는 것에 대해 소름이 돋을 정도로 깜짝 놀랐다.

　바로 스마트폰이 없다는걸 알면서도 무의식적으로 스마트폰을 찾고 있었고, 스마트폰을 굉장히 필요로 하고 있었다. 신기했다. 그 작은 네모난 물체가 하나 없어진것 뿐이고, 또 오히려 옛날엔 오히려 상상도 못했을 물체인데.

　그 스마트폰이라는 물체가 하나 없어진것 만으로도 나의 생활은 계속 불편해져만 갔다. 그렇게 계속 불편한 생활을 하던 중 나에겐 굉장히 반가운 소식이 들려왔다. 바로 스마트폰을 찾았다는 것이었다. 난 그 말을 듣자마자 안심이 되었다.

스마트폰. 그것을 무엇일까?

예전엔 꿈에도 못 꿨을 그 스마트폰이 이제는 없으면 불편하게 될 정도로 중요해져만 갔다.

난 소름이 돋으면서도 기대가 되었다. 만들어 진지 얼마 되지않은 스마트폰의 영향력도 이렇게나 큰데, 나중에 생겨날 전자기기들은 얼마나 대단하고 신기한 것들이 많을까?

별로 바뀌는 게 없을 것 같던 나의 미래는 점점 상상력으로 가득 차게 되었다. 발명은 상상에서 시작된다고 하던가?

진짜로 내가 불편하다 느끼던 것들을 난 상상 속에 발명품으로 보안하고 있었다. 우리의 미래는 상상을 할수록 더 편리해지고 더 즐거워질 수 있는 것이 아닐까?

상상하고 또 상상하자!

김도흔

상상하고 또 상상하자!

운

동

화

구

두

다 해진 운동화에서
경쾌한 구두 소리가 들린다.

학원이 끝나고 집으로 가는 길. 매일 신는 운동화를 신고 총총총 집으로 걸어간다.

또각또각.

걸어가면서 해진 운동화에서 웬 구두소리가 난다. 또각또각. 그 묘한 박자감이 좋아서 발걸음을 재촉하고 힘차게 걸으려고 한다.

발걸음을 재촉해서 또각또각.

힘차게 걸으며 또각또각.

다 해진 운동화에서 경쾌한 구두 소리가 들린다.

송지오

#. 2

다가오는 말

책
장

평상시처럼 도서부 일을 하며 책장에 책을 한 개 꽂고 있었다. 그리고 책이 꽂힌 책장을 바라보았다. 책장에는 책이 수두룩하게 많이 꽂혀있었다. 그다음에는 책장에 꽂혀있는 하나 하나의 책들을 보았다. 책들의 각기 다른 제목들에서 독자들이 느낄 감정이 보이는 것 같았다.

나는 책을 읽을 때 마치 내가 주인공이 된 것처럼 몰입해서 읽기 때문에 더 다양한 감정들을 느끼는 것 같다. 책에서 주인공이 슬픈 일을 겪고 난 후 극복하면 내가 뿌듯한 마음이 든다. 그리고 그 책을 읽으며 느낀 감정을 담아 책을 반납하면 책장에 책이 꽂히게 된다.

이런 나처럼 책은 책을 읽고 다양한 감정을 느끼는 사람들의 감정을 담고서 다시 도서관으로 온다. 그리고 감정을 담은 책들은 도서관의 책장에 꽂혀있게 된다. 책장에 있는 감정을 담고 있는 많은 책들을 보고 사람들은 나와 비슷한 감정을 느끼거나 내가 느끼고 싶은 감정을 담은 책을 찾아 빌리게 될 것이다. 그 후에 그 책을 읽고 그 사람이 느낀 새로운 감정이 다시 책에 담겨 책장으로 오게 된다. 그리고 책장은 새로워진 감정도 고스란히 보관해둔다.

책장은 마치

한 사람, 한 사람의 감정을 보관해 주는 감정 보관함 같다

감정을 담은 책들을 보관하는 책장은 마치 한 사람, 한 사람의 감정을 보관해 주는 감정 보관함 같다는 생각을 하니 왠지 책장이 달라 보였다.

황서현

사
인
펜

언제나 나만의 개성을 찾는다.

티비를 보다가 아무 생각없이 둘러보았다. 그런데 문뜩, 눈앞에 무언가가 들어왔다. 싸인펜이었다.

그것은 각자 자신의 색상을 띄고 있었다. 예를 들어, 빨간색은 다름아닌 빨간색. 빨간색이란 것은 애초에 세상에 단 하나밖에 없었다. 자신의 개성을 빛내고 있는 것이다. 빨간색 뿐만 아니라, 파란색, 노란색 등등, 모두 다.

하지만 나는 다른 아이와 다름없는 여자아이 하나.

언제나 나만의 개성을 찾는다.

언제나 나만의 개성을 찾는다.

마치 싸인펜처럼.

최예원

글
자

　세상엔 일어, 한글, 한자, 영어 등 여러 언어가 있다. 여러 언어는 각각 역사도 다르고 생김새도 다른데 한가지 공통점이 있다. 누군가와 대화를 나누고 나의 생각을 나누고자 하는것. 그리고 이런 목표를 잘 활용한 것은 책이 아닐까 싶다. 나의 의견을 글로 쓰고, 퍼트리고, 나누고. 이 글자 라는 것이 없었으면 책이라는 물체가 존재했을까? 이 글자가 없었으면 서로의 소통이라는게 가능했을까? 글자가 없고 책이라는게 없었으면 세상에 문명이 이렇게 발전할 수 있었을까?

　내가 맨날 아무렇지 않게 쓰던 이 글자라는 건 소중한 것이 였다. 앞으론 이 글자를 소중하게 사용할거다.
　그리고 난 이 소중한 글자라는 것으로 오늘도 글을 써야겠다.

김도흔

이 소중한 글자라는 것으로 오늘도 글을 써야겠다.

초
록

베란다에 나가서 창문과 방충망을 열고 난간에 기대어 잠시 경치를 보았다. 생각보다 나무가 많아서 놀랐다.

초록의 푸릇푸릇 나무들.

아, 우리가 많이 보는 색깔은 문제집의 하얀 종이도 아니고, 여기저기 올라온 잡티를 볼 때마다 보이는 살구색의 피부도 아니라 은근슬쩍 조용하게 내 눈을 채우고 있던 나무의 초록색이구나.

송지오

은근슬쩍 조용하게 내 눈을 채우고 있던
나무의 초록색이구나.

기
록

국어 학원 숙제로 글쓰기를 하던 도중 글을 써 내려가는 연필의 소리가 들렸다. 연필 소리가 들리니 동시에 평상시에 숙제로 귀찮게만 썼던 글들이 생각났다. 그리고 연필에 집중하니 항상 쓰던 글이지만 새로운 글을 쓰는 느낌이 들었다. 연필로 사각사각 소리를 내며 한 글자, 한 글자 씩 써 내려 갈수록 문장이 완성되고, 글이 완성되었다. 글을 쓰다가 가끔 문장이 완성되어 가던 도중 실수를 해서 지우개로 지운다.

나도 흰 백지였던 삶에 사각사각 한 글자씩 나의 이야기를 써 내려가고 있다. 그러다가 실수하면 지우고, 지워도 자국이 남더라도 다시 써 내려간다. 한 글자, 한 글자가 의미 있게 쓰이길 바라는 마음에 더 정성 들여 꾹꾹 눌러쓴다.

그렇게 한 문장이 완성되고, 한 글이 완성되었을 때 나는 오늘의 나를 기록했다는 뿌듯한 마음을 가지고 고이 보관해 둔다.

　나중에 내가 쓴 기록들을 보며 지금의 나와 내 주변 사람들을 다시 기억할 수 있도록 말이다.

황서현

사각사각 소리를 내며
한 글자, 한 글자씩 써 내려갈수록
문장이 완성되고,
글이 완성되었다.

인
터
넷

댓
글
창

우리는 진짜 아무것도 모른 채 살아간다는 것을.

우리는 일상생활에서 유튜브를 많이 사용한다. 그런데 유튜브 영상 밑을 보면 수많은 댓글이 뜬다. 가끔씩 댓글 하나하나를 살펴보면 이 댓글은 누가 썼는지, 어떤 사람인지, 어떻게 생겼는지 궁금할 때가 있다. 그 때, 나는 문득 떠올랐다. 우리는 진짜 아무것도 모른 채 살아간다는 것을.

우리는 이 생각을 일상생활에서도 느낄 수 있다. 우리는 처음 만났을 때, 그 사람이 누군지, 어디서 왔는지 하나도 모른다. 그래서 그런지 자주는 아니지만, 그 사람의 마음을 꿰뚫고 싶을 때가 있다. 그 사람의 모든 걸 알고 싶고, 비밀이 없었으면 좋겠다는 생각이 종종 든다.

최예원

블
럭

 오늘 길을 지나가다가 블록들로 만든 작품들이 있는 것을 보았다. 궁금증에 그 블록들로 만든 작품이 전시되어 있는 건물로 들어가 봤다. 들어가 보니, 난 눈에 빛이나도록 깜짝 놀았다. 거기에 있는 것들은 그저 블록이 아니였다. 예술 작품이었다. 그저 평범한 놀이 도구였라고 여겨졌던 물건이 그곳에서는 예술 작품으로 빛나고 있었다.

 그 블록으로 작품을 만드는데 썼던 집중력, 그 블록을 만들기 위해 하나하나 정교하게 설정하고 이어붙이는 정성이 고스란히 느껴졌다.
 나도 무언가에 열과 성을 다 한다면... ....
 어쩌면 내가 그린 그림, 내가 하는 말 그런 모든 크고 작은 것들이 모두 예술 행위가 될 수 있지 않을까?

김도훈

그 블록으로 작품을 만드는데 썼던 집중력,
그 블록을 만들기 위해 하나하나 정교하게
설정하고 이어붙이는 정성이 고스란히 느껴
졌다.

조

화

사소한 선물도 자녀의 마음이 담겨있는 것을 받
을 때 누구보다 밝은 미소를 보이신다.

친구와 놀던 중 친구가 조화를 사서 꽃다발을 만들어 부모님께 드리자는 제안을 했다. 재미있을 것 같아서 고민도 하지 않고 조화를 사서 꽃다발을 만들었다. 만드는 과정이 은근히 힘들어서 종이가 구겨지고 모양새도 이쁘지 않았다. 그래도 엄마께 전해드렸다. 엄마께서 굉장히 좋아하셨다. 그리고 아직까지도 그 조화를 집에 두고 계신다. 그 당시 나는 향도 안 나는 가짜 꽃인데 되게 좋아하신다고 내심 기뻐하기만 했던 것 같다.

근데 지금 와서 생각해 보면 엄마께서는 꽃다발에 초점을 맞추신 것이 아니라 내가 만들어서 드렸다는 것에 초점을 맞추신 것 같았다.

부모님께서는 사소한 선물도 자녀의 마음이 담겨있는 것을 받을 때 누구보다 밝은 미소를 보이신다. 밝은 미소를 보면 나도 기분이 덩달아 좋아진다. 그래서 나도, 부모님도 나이를 쌓아갈수록 내가 부모님께 더욱 좋은 선물을 드릴 수 있었으면 좋겠다.

황서현

커
튼

'아무리 가까워도 볼 수 없구나.'

우리는 일상생활에서 커튼을 많이 사용한다. 내 방, 안방, 우리 집 거실 등등. 특히 나는 잠을 잘 땐 커튼을 치고 자는게 일상이다. 어느 캄캄하고 평소와 다름없는 밤, 나는 문득 느꼈다. 내 방 베란다에는 검은색 캐리어가 있는데, 그 캐리어는 아무리 가까워도 커튼 한 번만 치면 시야에서 사라져 버린다. 그 순간 나는 느꼈다. '아무리 가까워도 볼 수 없구나.'

그렇게 커튼 한 번만 치면 시야가 분홍색으로 뒤덮인다는 생각에 조금은 마음이 쓸쓸했다. 잠시 후, 나는 하나의 생각이 또 떠올랐다. 만약 이것이 인간과 인간 사이의 관계라면 어떨까? 왜인지는 모르겠지만 기분이 이상했다.

어떤 것 하나로 관계가 틀어지는 것은 외롭고 쓸쓸할 뿐이었으니까.

최예원

생
명

책을 읽다 보면 내가 살고 있는 이 지구가 아닌 새로운 세계가 존재하고, 듣지도 보지도 못했던 생물, 물건들 이 등장한다. 분명 이것들이 실제로 존재하지 않는 다는 것을 알면서도 이야기를 읽을때는 그것이 진짜 존재하는 것으로 느껴진다.

나도 존재하지 않는 가상의 것에 생명을 불어 넣을 수 있을까?

물론 우리가 책을 쓰는 사람처럼 디테일하고 정교하게 인물을 만드는 것은 어렵겠지만, 결국엔 상상력이라는 것에서 만들어지고 다듬어지는 것이니 내 상상 속에서만 살아있고 존재하는 것에게 나의 글 안에서 만큼은 생명을 불어 넣어주는 것이 가능하지 않을까?

만화나 영화에 나오는 것처럼 사람을 살리는 초능력은 없지만 상상력이라는 것이 나에겐 생명을 불어 넣어주는 초능력이 되지 않을까?

김도훈

상상력이라는 것이

나에겐 생명을 불어 넣어주는 초능력이 되지 않을까?

의
미
부
여

　6학년이 되니까 학교에서 하는 모든 행동에 의미를 두게 된다. 예를 들면 '초등학교 1학기 마지막 점심'이라던가, '초등학교 마지막 여름방학 숙제'라던가 말이다.

　막상 할 때는 별 느낌이 안 들었는데 하고 나면 마지막인데 이렇게 할 걸, 저렇게 할 걸 후회가 밀려온다. 설령 그것이 별 의미가 없는 것이라고 해도 말이다.

　지금도 그렇게 생각한다. 3월2일, 초등학교 마지막 새학년 시작인데 뭐라도 해볼껄 하고 말이다. 아무리 사소한 것이라 해도 그 어떤 마지막이라도 그렇다.

　이렇게 마지막을 찾아 하루를 보내면 나도 뭐든 열심히 하게 되지 않을까?

송지오

마지막을 찾아 하루를 보내면
나도 뭐든 열심히 하게 되지 않을까.

지
금
의

행
복

행복의 정의는 무엇일까? 무엇이 진정한 행복일까? 난 일상에서 행복이라고 할 수 있는 것들을 찾아보기 시작했다. 그러다가 지금의 행복이라고 할 수 있는 것을 찾았다.

평범한 저녁에 할머니 댁을 가게 되고, 할머니께서 쪄주신 따뜻하고 맛있는 옥수수와 예쁜 밤하늘, 그리고 기분 좋게 부는 선선한 바람이 별것도 아니지만 유독 그날은 행복하게 느껴졌다.

평상시에도 일어날 수 있는 것도 그날 행복하게 느껴졌다면 나는 조금은 행복에 대해 알아가고 있는 것 같다. 앞으로의 행복은 어떻게 변할지 모르겠지만 지금의 행복, 미래의 나의 행복들이 쌓여 어른이 되었을 행복한 사람이 되었으면 좋겠다.

황서현

나는 조금은 행복에 대해 알아가고 있는 것 같다.

#. 3

책

의

말

곰
팡
이

"사람들은 곰팡이를 두려워하지 않아. 끔찍 해하지. 한 번 곰팡이를 겪은 사람들은 두 번 다시 곰팡이와 만나고 싶어 하지 않아. 그때는 네 마음에 더이상 곰팡이가 있든 없든 중요하지 않을 수도 있어. 사람들이 널 조금이라도 믿어 줄 때, 바로잡을 수 있을 때 바로잡아."

-192p

「당연하게도 나는 너를」 이꽃님 글, 우리학교, 2023

이 문장을 마지막으로 읽고 책을 덮은 뒤 자기 전 '내 마음에도 곰팡이가 있을까?'라는 생각을 했다.

있을 것 같았다. 하지만 나 뿐만이 아닌 다양한 많은 사람들의 마음에도 있을 것 같았다.

곰팡이는 습한 곳에서 잘 퍼진다고 했다. 부정적인 생각, 힘든 일, 스트레스, 속상했던 말 등이 모인 어두워진 방에 가둬둔 나의 마음이 습하다고 느껴져 마음의 주변을 곰팡이로 벽을 세운 것 같다는 생각을 했다. 그래서 나는 내 마음에 쌓인 벽, 즉 곰팡이를 부스기 위한 방법을 찾기 위해 많은 생각을 했지만 위의 문장을 생각하니 간단했다.

나를 믿어주고 바로잡아 줄 수 있는 주변 사람들에게 도움을 받는 것이었다. 그렇지만 또 다른 방법도 생각이 났다. 부정적인 것들로 가득 찬 어두운 방을 환하게 만들어 답답하고 습하지 않게 만드는 것이었다. 긍정적으로 생각을 바꾸고, 좋은 추억이었던 사진을 보고, 스트레스 해소 방법을 찾는다면 어두웠던 방이 환해지지 않을까.

적어도 나는 그렇게 생각한다. 내 마음에 곰팡이가 생긴다면 혹은 지금 있다면 내 방을 환하게 만들고, 나를 믿어주고 바로잡아 줄 수 있는 내 주위 사람들에게 도움을 청할 것이다.

황서현

마
음
가
짐

"내 힘으로 너 이길 거야.
부적 같은 거 필요 없어."

-214p

「5번 레인」 은소홀 글, 문학동네, 2020

책에서 주인공과 주인공의 라이벌이 사과하고 용서하는 장면에서 나오는 대사이다. 사과하고 용서하는 그 장면에서도 좋은 문장들이 참 많았지만 나에겐 특히 이 문장이 더 뜻깊게 다가왔다. 내 힘, 부적, 승리 스포츠를 포함한 대부분의 곳에서 쓰이는 말들이다. 부적 없이, 나의 힘으로 승리한다. 승리는 무엇일까? 나의 힘이란 무엇일까?

책의 마지막 부분에 이런 문장이 나온다 "어떻게 졌는지가 중요한 시합이었다" 주인공과 주인공의 라이벌은 모두 승리를 하려고 했었다. 승리. 스포츠에선 빠질 수 없는 규칙이다. 하지만 승리가 있다면 패배도 있다. 스포츠의 매력이자 가혹한 점이다.

하지만 다행인건 아까 어떻게 졌는지 중요한 시합이 있덨 것처럼 뜻깊은 패배도 있다는 거다. 주인공은 결국 주인공의 라이벌을 이기지 못한다. 하지만 주인공은 분한 감정만 느끼지 않았다. 패배로 얻는 경험, 깨닳음.

나도 다시 느꼈다. 스포츠의 또 다른 중요한 점이 패배에도 있다는 것을. 사람들이 똑같이 패배해도 그 마음가짐이 중요하다는 것을.

패배하고, 넘어져도 생각하자!

김도훈

믿
음

헤매던 미로 안에서
거우 출구의 빛을 발견한 느낌.
절망했다가 나갈 방법을 찾을 수 있다는
희망을 찾은 것 같았다.

p. 88

「소녀 귀신 탐정」 선자은 글, 슈크림북, 2019

미로에 내가 놓였을 때 미로를 헤매다가 막힌 길도 나오고, 함정도 나오겠지만 미로를 풀기 위해 제일 중요한 건 나를 믿는 것이 아닐까 싶다.

사실 미로의 길을 선택하는 것이 나 자신이고 선택한 길로 간다는 건 나 자신이다. 또 선택한 길로 간다는 것은 내가 나를 믿는다는 것이다. 그리고 막다른 길에 좌절하더라도 희망을 가지고 다시 한번 도전할 수 있다는 것은 나의 마음가짐을 고칠 수 있다는 것이다.

아무리 좌절하더라도 나를 믿고 나의 좌절했던 마음을 바꾸려고 노력하여 미로를 탈출하고 다시 일어나게 된다면 그때의 나는 더 강해져 있지 않을까?

황서현

친

구

"나는 약하지만,
우리는 강해!"

p.211

「푸른 사자 와니니. 1」 이현 글, 창비, 2015

나는 이 말을 지극히 공감한다. 어느 평화로운 날, 나는 친구들과 같이 수다를 떨고 있었다. 왠지 어떤 위기도 이겨낼 수 있을 것 같은 용기가 어디선가 솟아 나왔다. 반면, 친구가 없어 그냥 홀로 서있을때는 내가 세상에서 가장 초라해진 느낌이었다.

그 순간마다 나는 느낀다. 혼자서는 어떤 위험도 이겨낼 수 없지만, 우리는 어떤 위험도 이겨낼 수 있다는 것을. 나는 그 이후로 타인을 더 소중하게 생각했다.

최예원

별
명

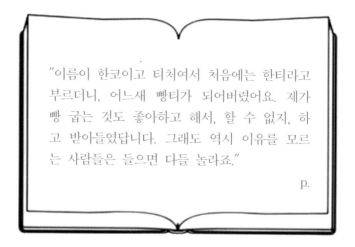

"이름이 한코이고 티처여서 처음에는 한티라고 부르더니, 어느새 빵티가 되어버렸어요. 제가 빵 굽는 것도 좋아하고 해서, 할 수 없지, 하고 받아들였답니다. 그래도 역시 이유를 모르는 사람들은 들으면 다들 놀라죠."

p.

「츠바키 문구점」 오가와 이토 글, 위즈덤하우스, 2017

별명의 세계는 참으로 단순하여 심오하다. 연락처를 저장할 때 이름에 오타가 크게 났다고 그대로 별명이 되어버린다. 나는 오타를 낸 사람도, 별명으로 만든 사람도, 오타 난 이름이 별명이 되어버린 사람도 아니다. 관련이 있다면 앞의 3명 전부 친구라는 것뿐.

이 얘기는 건너 건너 들었는데, 나는 이 얘기를 듣기 전부터 그 별명대로 부르고 있었고, 내 주위는 거의 그 친구를 별명대로 기억하고 부르기 시작했다. 내 주위도 그렇고, 나도 이름과 전혀 관련이 없어 보이는 별명으로 불리는 친구에 대하여 그 어떤 의문도 남기지 않았다. 생뚱맞은 별명에 의문점을 품고 마침내 이유를 알게 되었지만 의문점을 안게 된 건 이미 내 주위가 그의 별명을 마치 이름처럼 기억하고 한참이 지나서였다.

별명이 되는 기준은 단순하디 못해 오히려 심오하면 이상한 법이다. 하지만 사람들은 얼렁뚱땅 만들어진 별명으로 나를 기억하고 불러준다. 이는 마치 이름과 같다고 생각한다.

이름이 되는 기준이 단순하면 단순할 수록 이상하다는 것이 다르긴 하지만 그 누가 타인의 이름의 의미를 그리 궁금해하겠는가. 주위 사람 모두 나를 그리 부르고 나도 그것을 인정하니 그런 것이지.

나를 나타내는 별명이 생긴다는 것은 이름이 하나 더 생기는 것과 비슷한 것 같다.

송지오

자
기
이
해

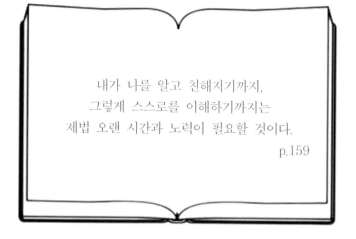

내가 나를 알고 친해지기까지,
그렇게 스스로를 이해하기까지는
제법 오랜 시간과 노력이 필요할 것이다.

p.159

「페인트」 이희영 글, 창비, 2019

나는 나를 아는 것이 중요하면서 어려운 것이라고 생각한다. 내가 좋아하는 것은 무엇인지, 내가 무엇을 할 때 행복한지 등 나에 대해 알아가야 할 것이 많다.

하지만 아직은 내가 무엇을 좋아하고 무엇을 할 때 행복한지, 내가 무엇을 싫어하고 무엇을 할 때 짜증이 나는지 잘 모르겠다. 그리고 내가 나라는 사람을 장점만이 아닌 단점도 받아들이는 것이 어려운 것 같다.

솔직히 혼자 있는 시간에도 핸드폰만 하고 나를 찾는 과정은 있지 않는 것 같다. 핸드폰 하는 것만이 내가 행복한 것이 아닌데도 말이다. 혼자 생각이 많을 때라도 내가 무엇을 좋아하고 싫어하는지, 나의 단점과 장점이 무엇인지 알아가야겠다.

그리고 누구보다도 나와 친한 내가 되었으면 좋겠다.

황서현

괜
찮
아

불만 있으면 악플달지 말고
당당하게 말을 해.

p.175

「악플 전쟁」 이규희 글, 별숲, 2022

최근에 악플 전쟁이라는 책을 읽어보았다. 그런데 다 읽고 난 뒤에 이야기를 되짚어 보니, 기억에 남는 말이 몇 가지 있었다. 그 중 하나는 '내가 뭘 잘못한 거야?!' 라고 주인공 서영이가 미라에게 의문을 품은 장면이었다.

그 이유는 나는 평소에 그리 큰 잘못이 아닌데 죄책감을 느끼는 경우가 많기 때문이다. 나는 서영이의 감정을 이해할 수 밖에 없었다.

만약 서영이에게도 '괜찮아' 라는 말 한마디 쯤 해 줄 사람이 있었으면 좋았을 텐데 안타까웠다.

누군가 죄책감으로 힘들어한다면 나는 따뜻한 말 한마디 건네주고 싶다.

"괜찮아."

최예원

좋아하는

사람

너는 내가 무언가를
좋아하게 만들어 주었어.

p.104

「오백 년째 열다섯」 김혜정 글, 위즈덤하우스, 2022

신우가 가을이에게 쓴 편지 내용 중 하나이다. 가을이를 만나기 전 신우는 학교를 싫어했었다. 가을이를 만나고, 가을이를 좋아하게 된 후부터는 학교가 좋아졌다. 그리고 학교가 좋아졌다는 내용을 담은 편지를 가을의 생일날 선물과 함께 전달했다.

　좋아하는 사람이나 존경하는 사람이 좋아하는 건 나도 좋아하고 싶고, 싫어하는 건 나도 싫어하게 되는 것 같다. 이런 점이 나라는 존재가 묻히고 다른 사람과 비슷해져 간다는 면에서는 좋지 않지만 내가 싫어했던 것들을 좋아하게 된다는 것과, 내가 몰랐던 것을 알게 되고 좋아하게 된다는 것이라면 서로에게 좋은 영향인 것 같다. 그리고 주변에 나에게 좋은 영향을 주고 내가 무언가를 좋아할 수 있게 만들어줄 사람이 있다는 것은 정만 큰 행운이 아닐까? 이런 생각을 하니 나도 누군가가 무언가를 좋아하게 될 수 있도록 만들고 싶어졌다.

황서현

취

향

존

중

무언가 잘못된 게 아닌가. 뱃 속에 태아가 있고 그 심장 소리를 듣기까지 했는데 애정이 생기지 않는다. 오히려 설명하기 힘든 감정까지 치밀어 오른다.

p.228

「우리가 빛의 속도로 갈 수 없다면」 김초엽 글, 허블, 2019

<우리가 빛의 속도로 갈 수 없다면>의 6번째 단편소설 '관내 분실' 중의 일부다.

무언갈 연달아 좋아하게 되거나 좋아하다는 것을 깨닫게 되면 그때부턴 좋아하는 것 찾기가 시작된다. 그 시기엔 내가 새로운 것을 보거나 습득하면 그 끝에 언제나 '나는 이것을 싫어하는가, 좋아하는가'로 나눈다. 그리고 그 과정에서 보통이나 그럭저럭 같은 건 극히 드물다.

그러다 보면 내가 좋아하는 것들의 특징을 대충 알 수 있게 되는데 가끔씩 그 특징에 들어맞는 것이 있는데 마음이 안 가는 경우가 있다. 그럴 땐 내가 이것을 좋아하는 이유를 어떻게서던지 찾으려고 한다. 내 취향을 나 자신 스스로 강요하는 것이 내가 진짜 좋아하는 것을 찾을 수 없게 한다는 것은 알고 있지만 내가 좋아하는 것들에 통일성을 부여하고 싶은 건 어쩔 수 없나 보다.

송지오

내
면

마음을 건드리는 것들에게만 방을 하나씩 내주고, 그게 차곡차곡 쌓이고 빚어지면서 한 사람의 내면이 완성되는 건지도 모른다.

난 스무 살, 서른 살이 되면 무엇을 좋아하는 어른이 되어있을까? 그땐 내가 좋아하고 아끼는 것들을 남들 앞에서도 자신 있게 말할 수 있을까?

p. 90

「우리의 정원」 김지현 글, 사계절, 2022

이 글을 보고 주인공과 나는 비슷한 것 같다고 생각했다. 사실 지금은 조금 더 멋져 보이고 예뻐 보이려고 가끔 거짓말을 하기도 한다. 물론 다른 사람의 시선도 신경 쓰이고 놀림받을 것도 생각해서 나를 거짓으로 꾸미는 것도 있다.

하지만 나의 거짓 없는 모습도 좋아해 주는 사람들을 만나 위 글처럼 방을 하나씩 내주고 차곡차곡 쌓이고 빚어지면서 나의 내면이 완성될 것이다. 물론 이 내면이 지금의 나와 미래의 나는 다를 수도 있고 같을 수도 있다. 그렇지만 지금의 나는 나의 거짓 없는 모습도 좋아해 주는 사람들에게만 진실한 나의 내면을 보여주고 다른 사람들에게는 거짓된 나의 내면을 보여준다.

미래의 나는 조금 다르게 당당하게 진실한 나의 내면을 다 보여줄 수 있을까?

'우리의 정원'이라는 책을 읽으면서 나의 진실한 내면과 모습을 많이 생각하게 되었던 것 같다. 특히 이 문장으로 내가 좋아하는 것이 무엇인지 알아보게 되었다. 이 글을 보고 다른 사람들도 자신이 거짓된 모습으로 내가 살아가는지, 진실한 모습으로 내가 살아가는지 한 번 되돌아봤으면 좋겠다.

황서현

시
(詩)

오래 봐야 예쁘다.
너도 그렇다.

p.231

「끝까지 남겨두는 그 마음」 나태주 글, 북로그 컴퍼니, 2023

한가한 날, 시집에 관심이 생겨 서점으로 향했다. 그곳에는 수없이 많은 시집들이 꽂혀있었는데, 유독 눈에 띄는 것이 있었다. 나태주 시인의 시집이었다.

대표적인 시인 '풀꽃'을 읽었을 때, 나는 깊은 감명을 받았다. "오래 봐야 예쁘다, 너도 그렇다."라는 구절을 읽었기 때문이다.

나는 이 말을 지극히 공감한다. 마치 오래 봐야 정이 들고, 더 보고 싶어지는 것을 뜻하는 것 같았다. 내 주변 사람들 역시 그렇다. 맨 처음에는 아무렇지 않게 넘겼는데, 세월이 지나면 지날수록 더 가까워질수록 더 예뻐졌다. 이 글을 읽는 순간 알아낼 것이다. 그리고 너도 너가 사랑하는 사람을 떠올리겠지.

최예원

·　·　·

눈
물

괜찮아. 우는 건 나쁜 게 아니야.
너무 아팠던 기억을 씻어 내려면,
가끔은 눈물도 필요한 법이니까.

p.227

「환상 해결사」 강민정 글, 비룡소, 2023

어떤 사람들은 '울면 약해 보인다.', '남자는 우는 거 아니야.' 등 우는 행동을 하면 약한 사람이라고 생각한다. 그렇지만 나는 우는 건 사람을 더 강하게 만들어주는 것이라고 생각한다.

힘들지만 울지 않고 마음속에 묻어두기만 한다면 언젠가는 마음이 감당하지 못하고 흔들리다가 결국 모든 감정들이 터지고 말 것이다. 하지만 그때, 그때 혼자서라도 울면 훌훌 털고 다시 기운을 낼 수 있을 것이다.

운동을 하고 난 후 땀이 나면 찝찝한 느낌이 들어 씻는 것처럼 우는 것도 마음에 붙은 힘든 일들을 씻어주기 위해서 있는 행동 같다.

황서현

작가
노
트

　책을 내고 싶다는 생각 하나에 이끌려 글쓰기 동아리로 들어왔다. 열심히 하리라 다짐하고 각자 컴퓨터 키보드와 휴대폰 화면 위로 고민과 확신을 가득 머금은 손가락을 움직여 각자의 이야기를 써 내려갔다.

　글 쓸 소재를 찾아 사물의 이야기에 귀 기울이고 숨겨진 자신만의 이야기를 찾아냈다. 불규칙하지만 꾸준히 올라오는 글들을 보며 서로 자신만의 이야기를 나누었다. 쓸 거리가 없어 머리를 부여잡았을 때 그 속에서 자부심을 느꼈다.

　나중에 보면 부끄럽고 허점투성이로 보일 수 있지만, 스스로 자신만의 이야기를 용기 있게 말하며 그것을 가지고 모두와 소통하려는 노력을 잊지 않을 것이다.

원고 마감일을 앞두고
하얀 태양 (김도흔, 송지오, 최예원, 황서현)